历代碑帖精粹（第六辑）

北魏张猛龙碑

北京工艺美术出版社

图书在版编目（CIP）数据

北魏张猛龙碑 / 曹彦伟主编.—北京：北京工艺美术出版社，2011.11
（历代碑帖精粹.第6辑）
ISBN 978-7-5140-0095-5

Ⅰ.①北… Ⅱ.①曹… Ⅲ.①楷书-碑帖-中国-北魏 Ⅳ.①J292.23

中国版本图书馆CIP数据核字（2011）第217693号

出 版 人：陈高潮
责任编辑：梁 瑶
责任印制：宋朝晖
版式设计：高 杨

北魏张猛龙碑
曹彦伟 主编

出版发行 北京工艺美术出版社
地 址 北京市东城区和平里七区16号
邮 编 100013
电 话 （010）84255105（总编室）
（010）64280948（发行部）
传 真 （010）64280045/84255105
经 销 全国新华书店
印 刷 北京海德印务有限公司
开 本 880毫米×1230毫米 1/16
印 张 39.75
版 次 2011年11月第1版
印 次 2011年11月第1次印刷
印 数 1～3000
书 号 ISBN 978-7-5140-0095-5/J·995
总 定 价 300.00元（全十二册）

□讳猛龙字神□ 南阳白水人也其 氏挨分兴源流所出 故已备详世录不

复具载□□□□　□□郁于帝皇之　始德星□曜像于　朱鸟之閑渊玄万

鍪之□嵬岩千峰　之上弈叶清高焕　乎篇牍矣周宣时　□□仲诗人咏其

孝友光绢姬□中　兴是赖晋大夫张　先春秋嘉其声绩　汉初赵京王张耳

浮沉秦汉之闲终　跨列□□□□□　世□君其后也魏　明帝□初中西中

郎将使持节平西　将军凉州刺史改　之十世孙八世祖　軏晋惠帝永□□

使持節安西將軍
護羌校尉涼州刺
史西平公七世祖
素軌之第三子晉

使持节安西将军　护羌校尉凉州刺　史西平公七世祖　素轨之第三子晋

明帝太守中临羌　都尉平西将军西　海晋昌金城武戍　四郡太守遂家武

成高起钟□凉州　武宣王大沮涤时　建威将军武威太　守曾祖璋为凉举

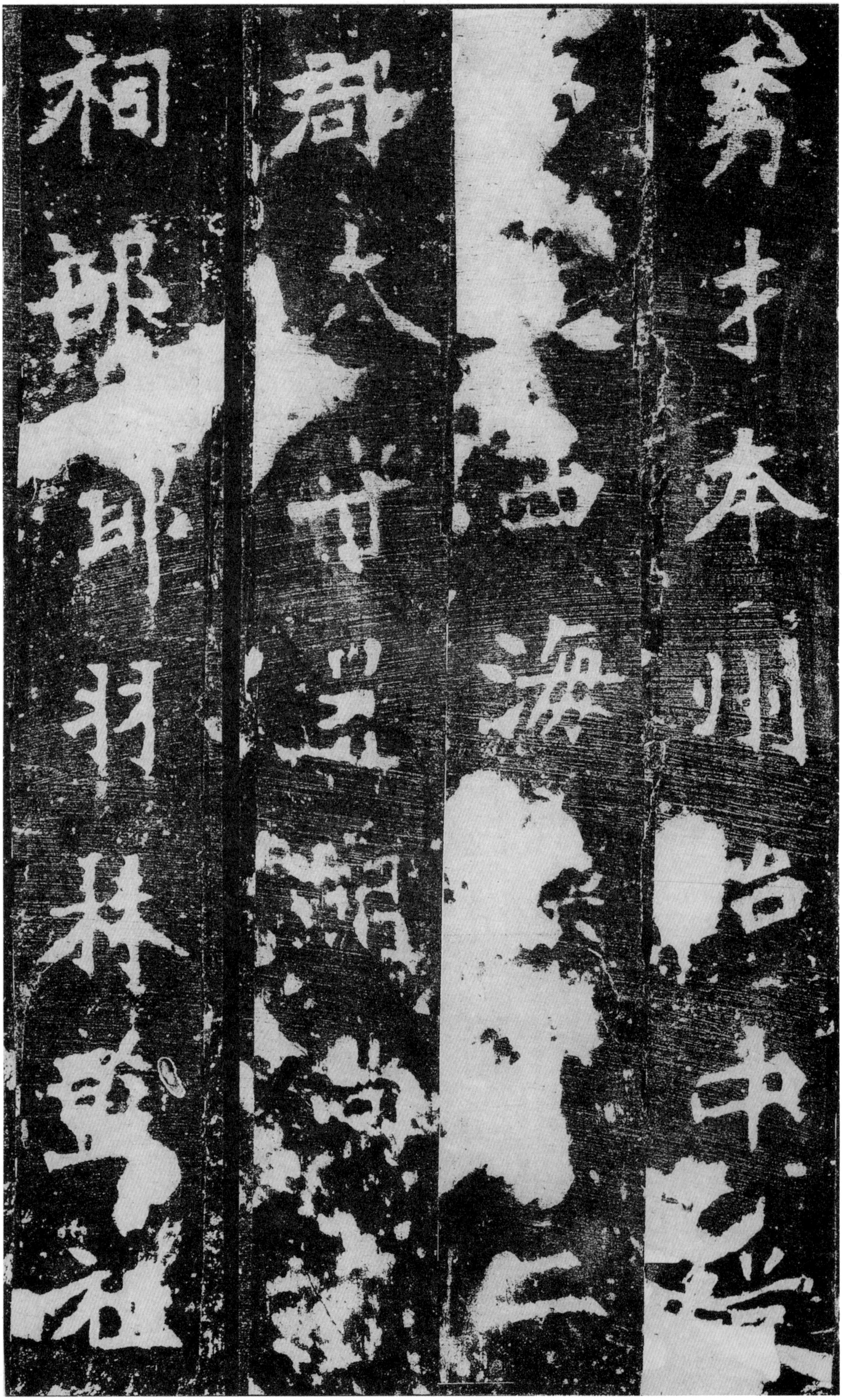

秀才本州□中从　□□西海□□二　郡太守□□尚□　祠部郎羽林监祖

兴宗伪凉都莺护　军建节将军饶河　黄河二郡太守父　生乐□□□□□

□□□□□□□□□
□□□□□青衿□
志白首方坚君体
□河灵神资岳秀

桂□兰仪点弱露 以怀芳松心□□ □□□□□□□ □□□□□□□

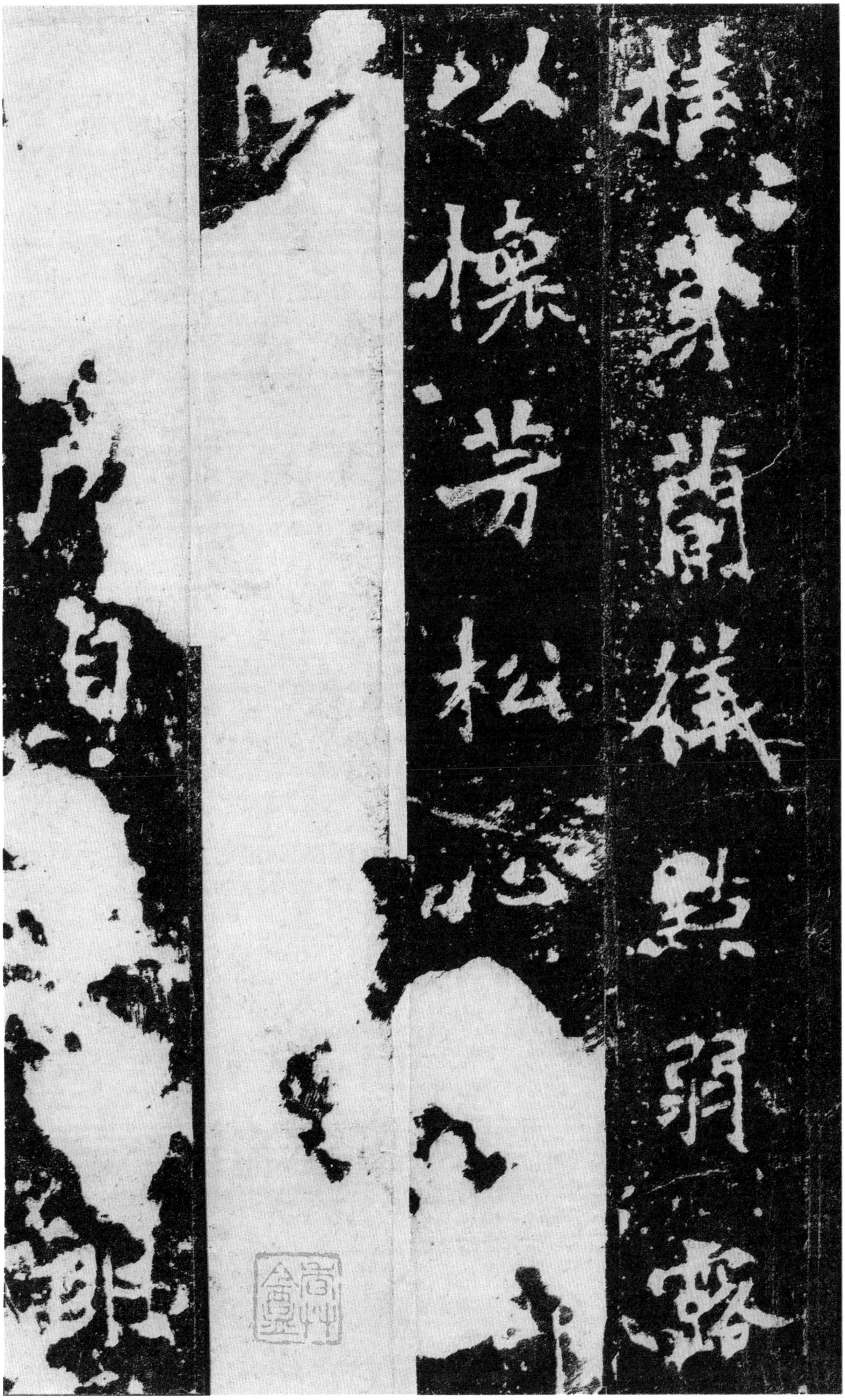

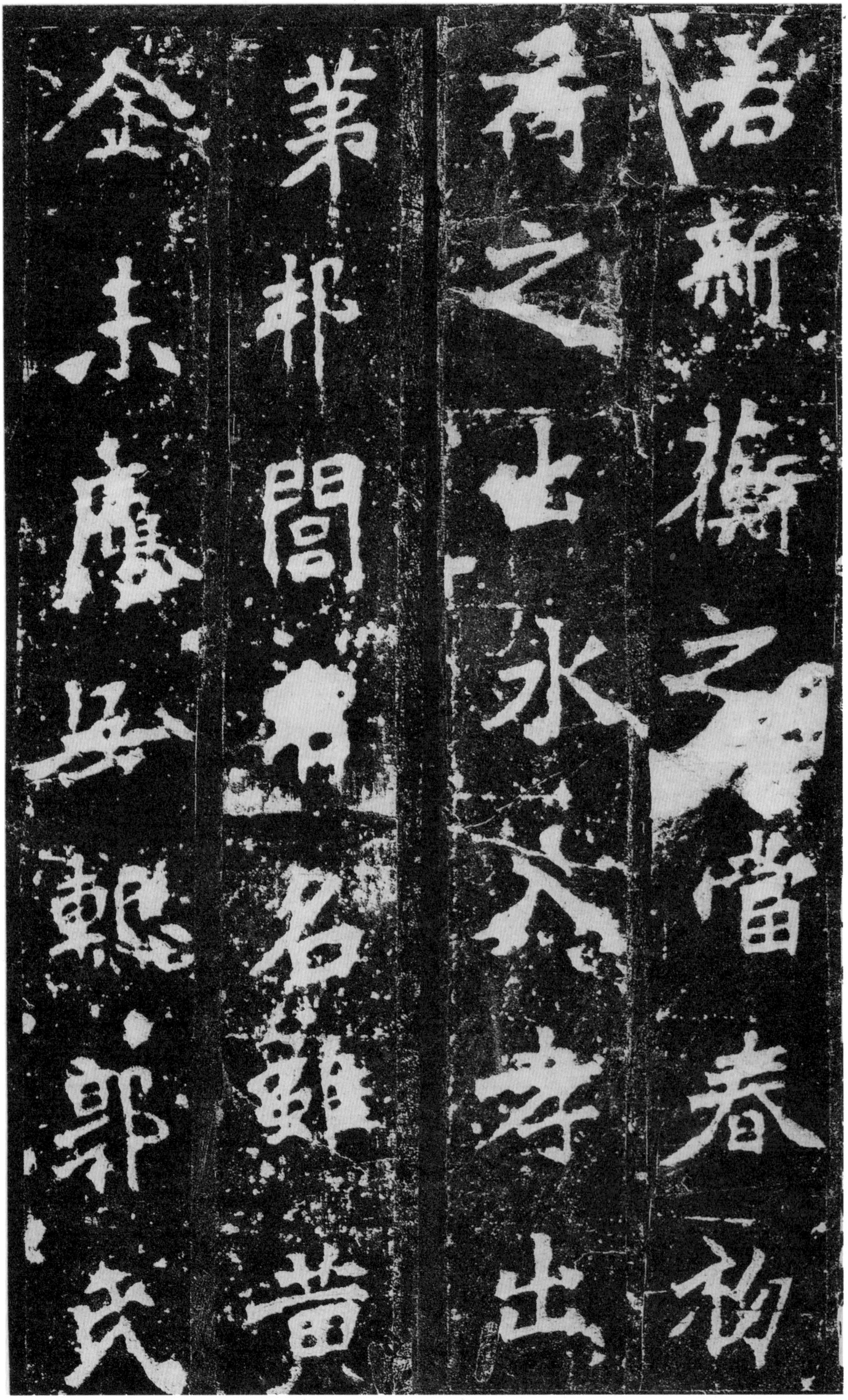

若新蘅之当春初　荷之出水入孝出　第邦间有名虽黄　金未应无惭郭氏

友朋□□交游□　□□□□□蒙□　人□□□七遭父　忧使食过礼泣面

情深假使曾柴更　世宁异今德既倾　乾覆唯恃坤慈冬　温夏清晓□承奉

家贫致卷不□□　□之憨年世□丁　母艰勺饮不入偷魂　七朝□力尽□备

之生死脱时当□　□无愧深叹每□　过人孤風独□令　人□□□□□天紫

以延□中出身除　奉朝请优游文才　□侪慕其雅尚朝　逆以君荫□如比

德□宣□以熙平　之年除鲁都太守　治民以礼移風以　乐如伤之痛无怠

于□霄若子之爱　有怀于心目是使　学校克修比屋清　业农桑劝课□织

以登□□观朝莫　不礼让化感无心　草石知变恩及泉　木禽鱼目安胜残

不待賒年有成□　月而已遂令讲习　之音再声于□里　来□之歌复咏于

沫中京非五守无　以克加河南二尹　栽可若□□名位　未一风□□□且

易俗之□黄侯不
□比□□角一之□
□子宁独□德□
乃辞金退玉之贞

□□葵去织之信　义方之我君今犹　古□诗□恺□□　□民□交母实恐

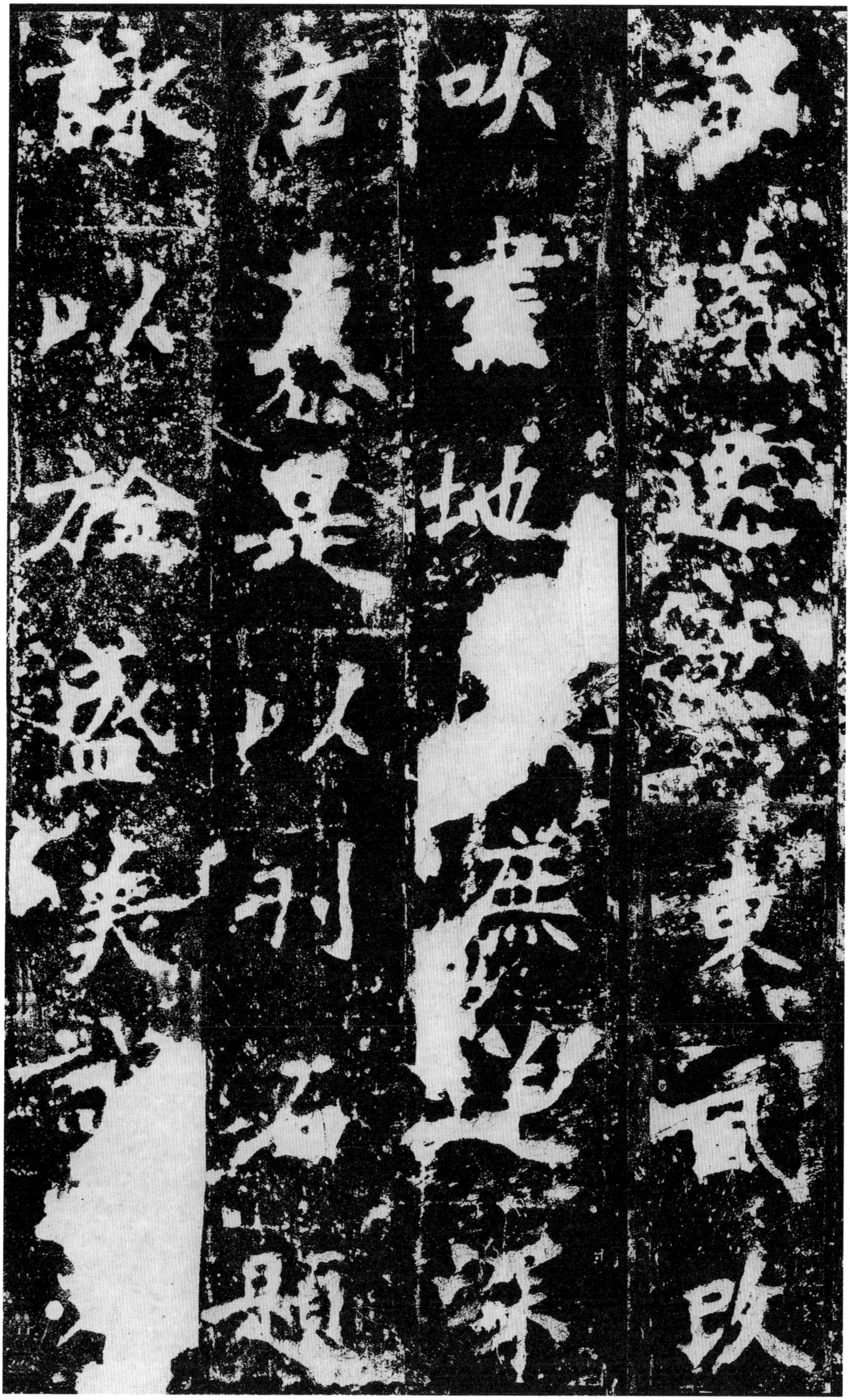

□义□□东風改　吹尽地□庶□深　玄□是以刊石题　咏以于盛美诚□

能式阐□□庶扬　□烈□□辞□□　氏焕天文体承帝　□神秀春方灵源

在震积石千寻长　松万刃轩冕周汉　冠盖魏晋河灵岳　秀月起景飞穷神

开照式□莫徽高 山仰止从□如归 唯德是□唯仁是 依栖迟下庭素心

若雪鹤响难留清　音遐发天心乃眷　观光王阙说绣紫　□承华咽月妙蔺

唯□□符儒乡分　金沂道裂锦郡方　春明好养温而□　霜乃如之人寔国

之良礼□□□□ □□□之恤小大 以□□□□洗濯 此群真云褰天净

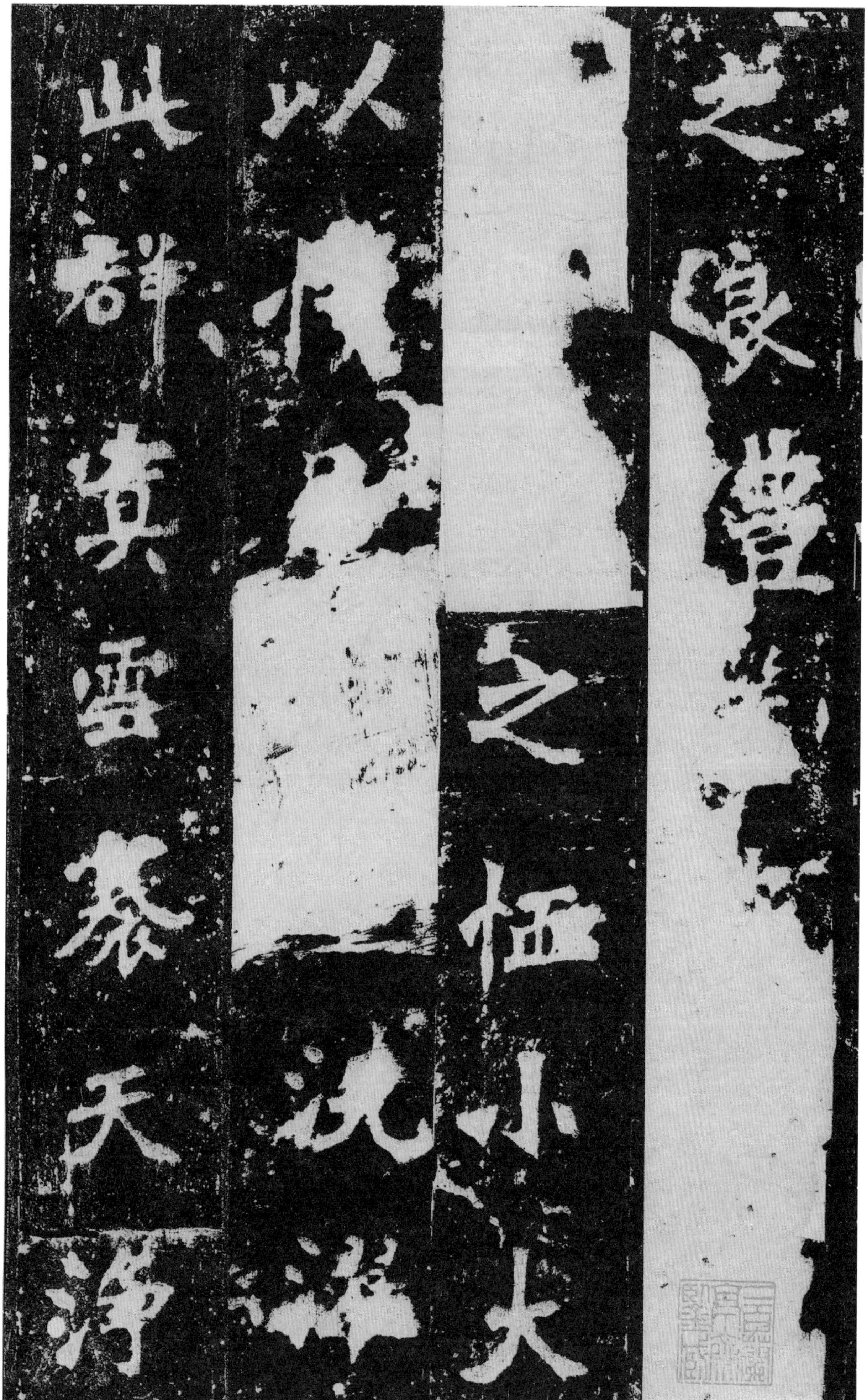

千里开明学建礼　修風教及正野畔　让耕林□□□□　□□□□衣可改

留我明圣何□勿　剪恩深在氏何以　鸟力憙风□移新饮　河止湍庆海迷津

敕石图□永□□ □□□□□□□□攸将军鲁郡奉北 率□□□□□□

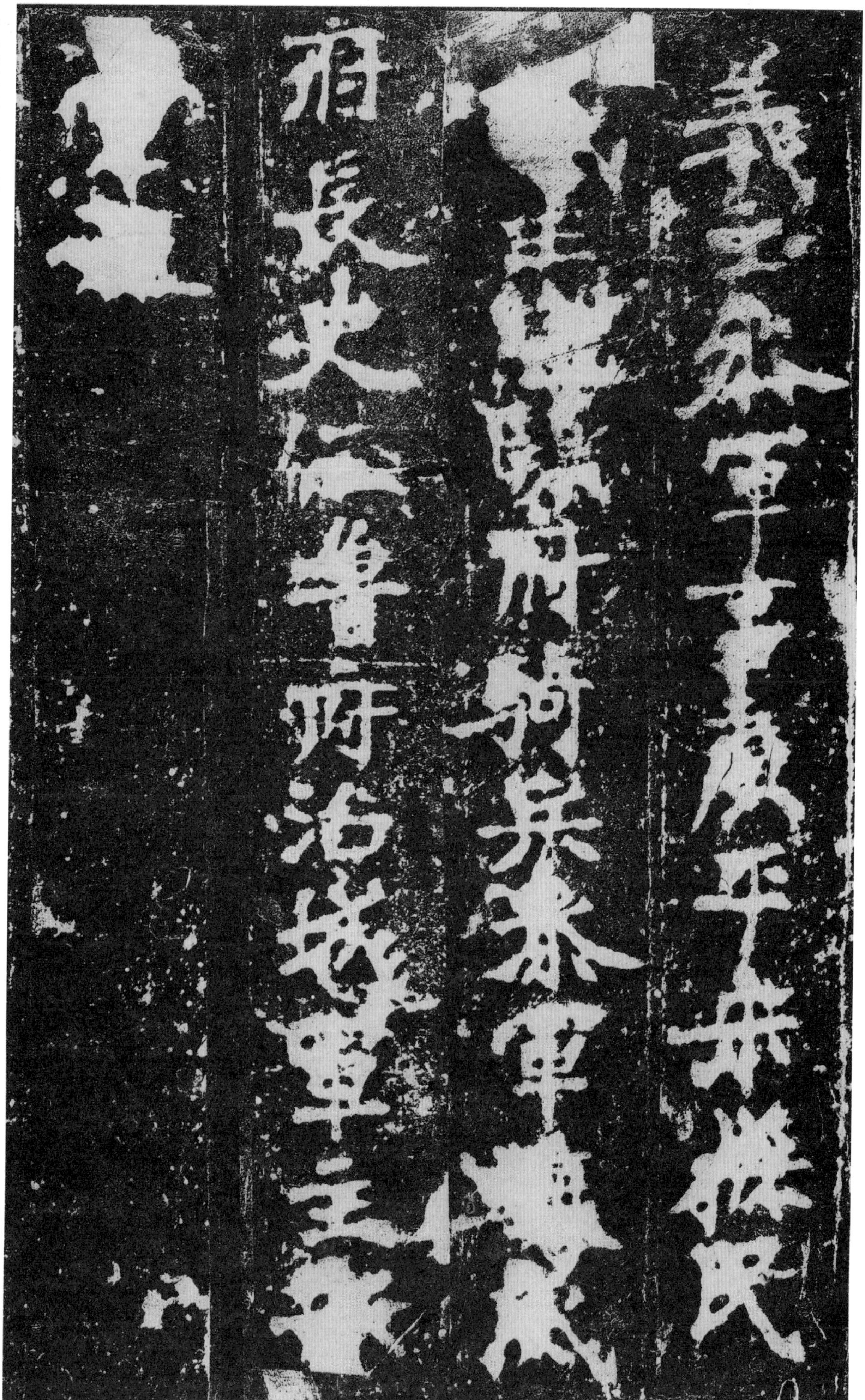

义主参军事广平未□民

□□□府骑兵参军□威

府长史仁鲁府治城军主□

□□

义主本郡二改□薄□□　义主□路　义主龙□令□□□　汶阳孙义主□城令寺武

□□□贤文　阳平□□州主薄王□生　造颂四年正光□年正月　十三日□

張猛龍碑是龍爲魯郡太守郡人頌其功德
者也其文無足言者書法結體錯綜使以
劉唐足脫一代方整之累歐顔諸公便可入山
陰之室矣然此碑却落險峻又未正晉思以
之富縣筆與歐顔異也至若蘇黃以六一

別趣書道之難如此然知者鮮矣孟龍字神
固按圖呼骨切日出氣也其名只險怪不於
馴六朝濫觴於詩亦爾殆不特書也

猛龍為魯郡太守人立碑而頌之正書
遒健已開歐虞之門戶碑并正書大字十
二尤險勁文蘭臺之所自出也猛龍不
見史冊按碑諱猛龍字神囫忽音而金石
錄有劉孔碑諱乾字天貌人之名字亦
異矣　海翁

宋登春字應元趙郡新河人壯歲鬚髮早白自稱海翁
晚居江陵之天鵝池更號鵝池生好兼術傳能擊劍馳騎
間為小詩吟詠無長篇五之少之者日為千百也每用酒之莽之
首其詩之可推雅頌者無篇陶謝先陸陳冊之同宜於乃列
國諸風里絕莙詠聲乎情由乎禮義焉用長篇何贈遺之於
諸伯勞風也後歸縱去之穿陵谷逃媚多乎鄉盤悅以兼雉媒為窩[illegible]
[illegible]我陵為之然者不歲間寡之女玉人皆亡仰天嘆曰天乎何驅我奔塊壘之間乎遂
囊書走遊後為江陵遍訪所往來人不知所終見王劍之字閱

是冊爲北平孫氏所藏元購自杭州書肆
嘉慶十一年持贈
墨卿公祖同年屬元書記冊後
此冊得於墨卿之子念曾墨卿者揚州守伊秉綬也伯榮附記
張猛龍碑在曲阜是冊有退谷先生題跋然不
見於庚子銷夏記金石略云因音忽詳玩碑文
作圖〻劇守也名猛龍所以守禊劇賢〻
墨卿先生以爲然否江藩跋

嘗目論曲阜任城諸碑石在六朝以前者皆刀法勁
深底平見方神圓碑尤顯透故但值佳拓則遒厚
巉絶縱極奇逸乃如介胄有不可犯之色況此為退
谷逸叟舊藏乎乙未秋八月對雨記何紹基
此碑今已漫漶似此氊蠟者不易得流傳有緒鄭堂辨
定圖字亦極精審今以寄
平齋親家清秘藏庶幾得所歸矣七十九叟許乃普記
同治乙丑閏夏

《张猛龙碑》刻于北魏孝明帝元诩正光三年（公元五二二年），全称《魏鲁郡太守张府君清颂之碑》。碑文正书阴刻，无撰书人姓名。碑阳二十四行，每行四十六字。碑阴十二列，镌刻立碑官吏姓名。额题正书『魏鲁郡太守张府君清颂之碑』阴文十二字。碑文记载张猛龙任鲁郡太守时的政绩。原碑现藏山东曲阜孔庙碑石陈列馆。

碑文书法用笔方圆并用，结字长方，笔画虽属横平竖直，但不乏变化，自然合度，妍丽多姿。此碑书法俊秀刚健，开唐欧阳询、虞世南之先导，而额书尤险劲，诚为北魏碑书难得之笔。清代包世臣、康有为等都赞赏此碑精能造极，不可名言。事实上爨龙颜之奇古，比干碑之瘦硬，李超、杨大眼之峻整，南碑之气韵，张猛龙碑都兼而有之。其姿态翩翩，秀丽溢洋，结构精能，格调高古。